Tu mundo

Pícnics

Figuras tridimensionales

Linda Claire

¡Vamos a ir de pícnic!

Vemos figuras.

Vemos cilindros.

Vemos conos.

Vemos esferas.

Vemos cubos.

¡Es hora de comer!

Resolución de problemas

¡Es un pícnic de cumpleaños! ¿Dónde están las figuras tridimensionales? Usa *sobre*, *debajo de*, *al lado de* y *detrás de* para describir dónde están.

1. ¿Dónde hay un cono?
2. ¿Dónde hay un cilindro?
3. ¿Dónde hay una esfera?
4. ¿Dónde hay un cubo?

Soluciones

Las respuestas variarán. Ejemplos:

1. Hay un cono detrás de la cabeza de la niña.
2. Hay un cilindro al lado del pastel.
3. Hay una esfera debajo de la tapa del frasco.
4. Hay un cubo sobre el regalo morado.

Asesoras

Nicole Belasco, M.Ed.
Maestra de jardín de niños, Distrito Escolar Colonial

Colleen Pollitt, M.A.Ed.
Maestra de apoyo de matemáticas, Escuelas Públicas del Condado de Howard

Créditos de publicación

Rachelle Cracchiolo, M.S.Ed., *Editora comercial*
Conni Medina, M.A.Ed., *Redactora jefa*
Dona Herweck Rice, *Realizadora de la serie*
Emily R. Smith, M.A.Ed., *Realizadora de la serie*
Diana Kenney, M.A.Ed., NBCT, *Directora de contenido*
June Kikuchi, *Directora de contenido*
Véronique Bos, *Directora creativa*
Robin Erickson, *Directora de arte*
Caroline Gasca, M.S.Ed, *Editora superior*
Stacy Monsman, M.A.Ed., *Editora*
Karen Malaska, M.Ed., *Editora*
Michelle Jovin, M.A., *Editora asociada*
Sam Morales, M.A., *Editor asociado*
Fabiola Sepúlveda, *Diseñadora gráfica*
Jill Malcolm, *Diseñadora gráfica básica*

Créeditos de imágenes: Todas las imágenes provienen de iStock y/o Shutterstock.

Library of Congress Cataloging-in-Publication Data

Names: Claire, Linda, author.
Title: Picnics : figuras tridimensionales / Linda Claire.
Other titles: Picnics. Spanish
Description: Huntington Beach : Teacher Created Materials, 2019. | Series: Tu mundo | Series: Mathematics readers | Audience: Grades: K to Grade 3.
Identifiers: LCCN 2018052853 | ISBN 9781425828356 (pbk.)
Subjects: LCSH: Picnics--Juvenile literature.
Classification: LCC GT2955 .C5319 2019 | DDC 394/.3--dc23 LC record available at https://lccn.loc.gov/2018052853

Teacher Created Materials
5301 Oceanus Drive
Huntington Beach, CA 92649-1030
www.tcmpub.com

ISBN 978-1-4258-2835-6

Printed in China
Nordica.082019.CA21901320